Le Colonel Chabert

Honoré de Balzac

Adaptation du texte : Nicolas Gerrier

CD audio

Durée : 1 h 23

Format MP3 : les MP3 s'écoutent sur l'ordinateur, sur les baladeurs, les autoradios, les lecteurs CD et DVD fabriqués depuis 2004.

Enregistrements : Quali'sons

Comédien : Philippe Agaël

Piste 1 *Chapitre 1*
Piste 2 *Chapitre 2*
Piste 3 *Chapitre 3*
Piste 4 *Chapitre 4*
Piste 5 *Chapitre 5*
Piste 6 *Chapitre 6*
Piste 7 *Chapitre 7*
Piste 8 *Chapitre 8*

Adaptation du texte et rédaction du dossier pédagogique : Nicolas Gerrier

Édition : Atelier des 2 Ormeaux (Christine Delormeau)

Maquette de couverture : Nicolas Piroux.
Photos : collection Bertrand Malvaux (casque), © RMN-Grand Palais (domaine de Chantilly) / René-Gabriel Ojéda (femme)

Maquette intérieure : Sophie Fournier-Villiot (Amarante)

Mise en pages : Atelier des 2 Ormeaux (Franck Delormeau)

Illustrations : Bruno Marivain

Pour Hachette Éducation, le principe est d'utiliser des papiers composés de fibres naturelles, renouvelables, recyclables, fabriquées à partir de bois issus de forêts qui adoptent un système d'aménagement durable.
En outre, Hachette Éducation attend de ses fournisseurs de papier qu'ils s'inscrivent dans une démarche de certification environnementale reconnue.

ISBN : 978-2-01-401631-4

SOMMAIRE

L'œuvre

Chapitre 1
L'étude de maître Derville 5
Chapitre 2
La rencontre de Derville et de Chabert 11
Chapitre 3
L'histoire du colonel Chabert 17
Chapitre 4
Chez le colonel Chabert 21
Chapitre 5
Chez la comtesse Ferraud 28
Chapitre 6
La transaction 34
Chapitre 7
La trahison 40
Chapitre 8
Hyacinthe, numéro 164 46

Activités

Chapitre 1 51
Chapitre 2 53
Chapitre 3 55
Chapitre 4 57
Chapitre 5 60
Chapitre 6 62
Chapitre 7 64
Chapitre 8 66
Activités de synthèse 69

Fiches

Fiche 1 : Honoré de Balzac 73
Fiche 2 : Quelques repères historiques 75

Corrigés des activités 77

Frise chronologique

1807
Mort du colonel Chabert à Eylau

1815
Chabert à Paris

Mars 1819
Chabert chez maître Derville

Juin 1819
- Derville chez Chabert, et la comtesse Ferraud
- Transaction à Groslay

Décembre 1819
Lettre de Derville à Delbecq

1820
Derville voit Chabert au Palais

Juin 1840
Derville voit Chabert à l'hospice de la Vieillesse

1789 / 1799
Révolution française

1799 / 1804
Consulat Napoléon Bonaparte

1798 / 1801
Campagne d'Égypte

1804 / 1815
Empire - Napoléon Ier

1807
Bataille d'Eylau

1812
Campagne de Russie

1814
Ire abdication de Napoléon

Avril 1815
Bataille de Waterloo

Juillet 1815
Les Cosaques dans Paris

1815 / 1821
Napoléon à Sainte-Hélène

1815 / 1830
Restauration
Louis XVIII
Charles x

1830 / 1848
Monarchie de Juillet
Louis-Philippe

1832
Balzac écrit *Le Colonel Chabert*
1re parution du roman

1844
Version définitive du roman *Le Colonel Chabert*

CHAPITRE 1

L'ÉTUDE DE MAÎTRE DERVILLE

À madame la comtesse Ida de Bocarmé,
née du Chasteler

Voilà l'homme avec son vieux manteau ! crie Simonnin.

Le jeune clerc[1] fait une petite boule avec du pain. Il la jette par la fenêtre. La boule tape le chapeau de l'homme.

Simonnin est un *saute-ruisseau*. Dans les bureaux, les *saute-ruisseaux* sont des garçons de treize ou quatorze ans. Ils portent des documents dans Paris. Ils sont encore des enfants et déjà des hommes de loi[2]. Ils n'aiment pas travailler mais ils aiment l'argent. Ils parlent bien et se moquent des autres personnes. Simonnin travaille dans l'étude de maître Derville, un avoué[3] de la rue Vivienne. Son chef est Boucard, le premier clerc.

– Arrêtez vos bêtises, Simonnin, dit Boucard. Cet inconnu est peut-être pauvre, mais c'est un homme !

– Nous faisons une blague à cet homme ? dit Godeschal, le troisième clerc. Disons-lui : « Vous devez revenir cette nuit pour voir le patron. »

Il est entre huit heures et neuf heures du matin. L'étude est une grande pièce avec un poêle[4]. Des clercs travaillent. D'autres clercs préparent le déjeuner. Il y a une tasse de chocolat, du pain,

---

1 Un clerc : un employé chez un homme de loi.
2 Un homme de loi : il travaille dans le domaine de la justice.
3 Un avoué : il représente des personnes devant la justice.
4 Un poêle : un appareil pour chauffer une pièce.

du fromage et de la viande sur une vieille cheminée. La pièce sent la nourriture, le papier, le poêle et la poussière. Elle sent très mauvais. Sur les murs, il y a de grandes affiches jaunes. Un grand meuble contient les dossiers de l'étude. Les fenêtres sont sales. Il n'y a pas beaucoup de lumière. Avant dix heures, il faut une lampe pour écrire. L'étude est vieille et laide. Elle est horrible comme les maisons de jeu, les tribunaux et les autres mauvais lieux. Pourquoi ? Dans ces endroits, le malheur de l'homme est dans sa tête. Il n'a pas besoin de jolies choses.

On frappe à la porte de l'étude. Cinq clercs regardent vers la porte. Ils répondent : « Entrez ! » Boucard a le nez dans son travail.

L'inconnu entre. Il ferme la porte derrière lui. Il a un air malheureux. Il essaye de sourire. Les clercs le regardent sans sourire. L'homme voit le *saute-ruisseau*. « C'est lui le souffre-douleur[5] de l'étude », se dit-il. Il lui demande :

– Monsieur, puis-je voir votre patron ?

Mais le garçon tape son oreille avec les doigts de la main gauche. Il fait le sourd[6]. Godeschal est en train de manger du pain. Il dit :

– Que voulez-vous ?

– Je viens ici pour la cinquième fois. Je veux parler à monsieur Derville.

– C'est pour une affaire ?

– Oui. Je veux la dire à monsieur Derville.

– Il dort. Mais nous pouvons vous aider.

L'inconnu regarde la pièce. Il cherche une chaise car il est fatigué. Mais il y a peu de chaises chez les avoués. Le client pauvre ne reste pas longtemps ici.

---

5 Un souffre-douleur : les autres se moquent toujours de lui.

6 Un sourd : une personne qui n'entend pas.

– Monsieur, dit-il, je veux expliquer mon affaire à monsieur Derville. Je vais donc attendre son lever.

Boucard finit son travail. Il va ensuite chercher sa tasse de chocolat. Il regarde le vieux manteau de l'inconnu. « Ce client ne peut pas payer, se dit-il, il faut le faire partir. »

– Le patron travaille la nuit, dit Boucard. Si vous voulez le voir, revenez à une heure du matin.

L'homme regarde le premier clerc d'un air stupide. Il ne bouge pas. Les clercs connaissent les réactions des clients. Donc, ils mangent et ne s'occupent pas du vieil homme.

– Bien, dit l'inconnu, je reviens ce soir.

Le vieil homme sort de la pièce et referme la porte.

– Eh bien, dit Simonnin, il a la tête dure[7] !

– Il ressemble à un mort, dit le dernier clerc.

– C'est un colonel, dit le premier clerc. Il veut de l'argent.

– Non, c'est un ancien concierge[8], dit Godeschal.

– Faisons un pari[9], crie Boucard. Il est noble !

– Son habit est sale et déchiré, il dort sous les ponts.

– Non, dit Boucard, je dis : brasseur en 1789 et colonel sous la République !

– Ah, répond Godeschal, je parie un spectacle : cet homme n'est pas un soldat.

Simonnin ouvre alors la fenêtre et crie :

– Monsieur !

– Que fais-tu ? demande Boucard.

– Je lui demande qui il est.

Tous les clercs rient. Le vieil homme remonte l'escalier. Godeschal demande :

– Nous lui disons quoi ?

---

7 Avoir la tête dure : ne pas changer d'avis facilement.

8 Un concierge : le gardien d'une maison.

9 Faire un pari : jouer pour de l'argent.

– Laissez-moi faire, répond Boucard.

Le pauvre homme entre de nouveau. Il regarde le sol. Il ne veut pas voir la nourriture car il a très faim.

– Monsieur, dit Boucard, quel est votre nom ?

– Chabert.

– C'est le nom du colonel mort à la bataille d'Eylau ? demande Huré, le quatrième clerc.

– C'est lui, dit l'inconnu.

Puis il quitte la pièce. Les clercs crient et rient fortement. L'un d'eux demande :

– Nous irons dans quel théâtre ?

– À l'Opéra, crie le premier clerc.

– Je ne sais pas encore, répond Godeschal, nous pouvons aller voir madame Saqui[10].

10 Madame Saqui : acrobate et danseuse (1786-1866).

– Ce n'est pas un spectacle.

– C'est quoi, un spectacle ? demande Godeschal. Mon pari est un spectacle, c'est-à-dire quelque chose qu'on voit…

– Dans ce cas, s'écrie Simonnin, nous pouvons voir l'eau couler sous le pont Neuf !

– … qu'on voit pour de l'argent, finit Godeschal.

– C'est faux, dit Huré, on voit des choses pour de l'argent et ce ne sont pas des spectacles.

– Le cabinet de Curtius[11] est-il un spectacle ? continue Godeschal.

– Non, répond Boucard. Ce sont des portraits.

– C'est un spectacle pour moi ! dit Godeschal.

Les clercs haussent les épaules[12].

– D'ailleurs, ce vieux singe est-il le colonel Chabert ? On ne sait pas. Le colonel est mort. Sa femme est mariée maintenant avec le comte Ferraud, le conseiller d'État. Madame Ferraud est une cliente de l'étude.

– Bien, conclut Boucard, nous saurons demain. Reprenez tous votre travail !

Tout le monde se met au travail. Godeschal dicte à voix haute un acte de justice à des copistes[13]. Boucard fait des additions. Il envoie ensuite Simonnin porter un paquet dans Paris. Godeschal dit à un copiste :

– Écrivez ceci : « dans l'intérêt de madame la vicomtesse de Grandlieu… »

– Quoi ! crie le premier clerc, vous travaillez sur l'affaire de la vicomtesse de Grandlieu contre la Légion d'honneur ? Arrêtez et occupez-vous de l'affaire Navarreins contre les Hospices[14].

Voilà une scène de la vie d'une étude. Les clercs diront plus tard :

– C'était le bon temps !

---

11 Le cabinet de Curtius : un musée de personnages en cire.

12 Hausser les épaules : monter les épaules quand on n'est pas d'accord.

13 Un copiste : une personne qui écrit des textes.

14 Les hospices : lieu où vivent des orphelins, des malades, des personnes âgées.

CHAPITRE 2

La rencontre de Derville et de Chabert

Vers une heure du matin, l'inconnu se présente à l'étude de maître Derville. L'avoué est un jeune homme. Mais il est déjà célèbre à Paris. C'est un très bon avoué.

Boucard accueille le vieil homme, puis se met à ranger des dossiers sur une table.

– C'est une heure étrange pour un rendez-vous, dit l'inconnu.

– Monsieur Derville aime travailler la nuit dans le calme. Il trouve comme cela les bonnes idées pour gagner ses affaires. Et il veut toutes les gagner ! Il aime son métier et gagne beaucoup d'argent. Il a d'ailleurs une vie très active. Il commence par travailler quatre ou cinq heures pendant la nuit, puis m'explique ses idées. Ensuite, il reçoit ses clients le matin de dix heures à deux heures et a des rendez-vous à l'extérieur dans la journée. Enfin, le soir, il entretient ses relations[1].

Le vieil homme écoute en silence. Il a l'air stupide.

Quelques instants plus tard, Derville arrive dans son étude. Il est en habit de bal. Il regarde avec étonnement le colonel Chabert. Le vieux soldat est maigre. Une perruque[2] cache son front. Il a une tache claire sur les yeux. Son chapeau fait une ombre noire

---

1 Entretenir ses relations : être en contact régulier avec d'autres personnes.
2 Une perruque : une coiffure de faux cheveux.

sur son visage blanc et ridé[3]. Il ressemble à un mort. Il porte une cravate de soie noire de mauvaise qualité. Son regard est froid. Il est triste. Est-il idiot ? Derville sait lire dans les hommes. Il sent une douleur profonde chez cet homme. Un médecin, un auteur et un homme de loi peuvent comprendre le malheur de ce visage.

Le vieil homme enlève son chapeau. Il salue le jeune avoué. Sa perruque colle au chapeau. L'avoué et le clerc voient alors une grande cicatrice[4]. Elle va du bas du crâne jusqu'à l'œil droit. Elle fait peur. Ils se disent : « Son intelligence est partie par cette blessure. »

– Si ce n'est pas le colonel Chabert, pense Boucard, c'est un courageux soldat !

Derville lui demande :

– Monsieur, qui êtes-vous ?

---

3 Ridé : avec des plis sur la peau.

4 Une cicatrice : une vieille blessure sur la peau.

– Le colonel Chabert.

– Lequel ?

– Le colonel Chabert mort à Eylau.

L'avoué et le clerc se regardent : il est fou !

– Monsieur, dit le vieil homme, je veux être seul avec vous.

Un avoué, un prêtre et un médecin n'ont jamais peur. Derville peut rester seul avec ce vieillard. Il fait donc un signe à Boucard de quitter la pièce.

– Monsieur, dit l'avoué. J'ai peu de temps. Merci d'être bref et concis[5]. Expliquez-moi simplement les faits. Parlez.

Le jeune homme s'assied à son bureau. Le colonel commence son histoire. L'avoué écoute et lit ses dossiers en même temps.

– Monsieur, je dois commencer par vous parler de la bataille d'Eylau. Je commande alors un régiment de cavalerie. Je joue un grand rôle dans la célèbre charge[6] de Murat. Je réussis à passer les lignes russes. Mais deux officiers m'attaquent. Ce sont des géants. L'un me frappe la tête avec son sabre[7]. Je tombe de mon cheval. Murat et mille cinq cents hommes chargent les Russes. Les hommes et les chevaux passent sur mon corps. On annonce ma mort à l'Empereur. Il demande de vérifier car il m'aime, le patron ! Mais personne ne le fait. Le livre *Victoires et conquêtes* raconte même ma mort.

L'histoire du colonel intéresse l'avoué. Il trouve les détails étranges mais vrais. Il arrête de lire ses dossiers. Il prend sa tête entre les mains. Il veut bien écouter la suite. Mais, avant, il lui demande :

– Je suis l'avoué de la comtesse Ferraud, la veuve[8] du colonel Chabert. Vous le savez ?

---

5 Être bref et concis : expliquer en peu de mots et de façon claire.

6 Une charge : une attaque d'une armée.

7 Un sabre : une sorte d'épée.

8 Une veuve : une femme dont le mari est mort.

– Ma femme ! Oui, monsieur. Je viens vous voir car les gens de loi ne m'écoutent pas. Mais laissez-moi continuer mon histoire. Je suis donc au sol et je ne peux plus bouger. Des soldats enlèvent mes vêtements. Puis ils me jettent dans une fosse avec les morts. Mais je dois vous expliquer pourquoi les chevaux de Murat et de ses hommes ne m'ont pas tué. Après le coup de sabre du Russe, mon cheval tombe sur moi et son corps me protège. Il me sauve ainsi la vie ! Je me retrouve donc sous la terre. J'ouvre les yeux mais je ne vois rien. J'ai du mal à respirer. Je crois entendre pleurer les morts (je les entends d'ailleurs encore aujourd'hui dans la nuit). Puis, c'est le silence, comme dans une tombe[9]. Je bouge mes mains. Elles attrapent un bras et je déplace les corps avec. Bientôt, je touche de la neige. Je fais un trou à travers et passe la tête. Je peux respirer l'air frais ! Je crie. Mais personne ne vient. Plus tard, une femme m'aperçoit. Elle va chercher son mari et ils m'emportent dans leur pauvre maison. Je reste six mois chez eux. Je suis entre la vie et la mort. Ils me conduisent ensuite à l'hôpital d'Heilsberg. Six mois plus tard, je me souviens de mon nom : je suis le colonel Chabert. Je le dis mais mes camarades de chambre rient de moi. Heureusement, un chirurgien appelé Sparchmann me croit. Il écrit mon histoire dans des documents officiels. Je fais aussi une déclaration chez un notaire d'Heilsberg. Malheureusement, je n'ai pas d'argent pour garder ces documents avec moi.

Puis, je dois partir d'Heilsberg car il y a la guerre. Je deviens un vagabond[10]. Parfois, je souffre trop de mes blessures et reste des mois dans la même ville. Des habitants soignent le petit Français mais ils rient aussi quand je dis mon nom. Leurs rires me rendent fou. On me garde alors pendant deux ans à Stuttgart dans une maison pour les fous. Les gardiens disent : « Voilà un

9 Une tombe : la place d'un mort sous la terre.
10 Un vagabond : une personne sans maison et sans travail.

pauvre homme. Il croit être le colonel Chabert.» Moi, je veux absolument revoir Paris. Ah, monsieur, revoir Paris, c'est…

Le colonel Chabert se tait. Derville le laisse rêver.

– Pour espérer sortir de là, j'oublie volontairement mon nom et mon histoire. Alors on ne me dit plus fou et, un jour, on me laisse partir. Parfois, aujourd'hui encore, je ne veux plus «être moi» car penser à la vie du colonel Chabert me tue. Sans mon nom, peut-être serais-je aujourd'hui militaire en Autriche ou en Russie.

– Monsieur, dit l'avoué, votre histoire est incroyable mais je m'y perds un peu. Arrêtons-nous un instant.

– Mais vous êtes le premier à m'écouter. J'ai besoin d'argent pour récupérer les documents officiels d'Heilsberg. Je veux commencer mon procès[11].

– Quel procès ?

– La comtesse Ferraud est ma femme. Elle a mon argent et elle ne me donne rien. Il faut annuler mon acte de décès, son acte de mariage et l'acte de naissance de ses enfants. Les avoués ne m'écoutent pas. Ils me croient malheureux ou fou. Ils veulent me remettre sous terre !

– Veuillez continuer votre histoire, monsieur.

Le vieil homme prend la main du jeune avoué :

– *Veuillez*…, c'est le premier mot de politesse depuis…

Le colonel pleure. Derville croit l'histoire de cet homme. Son regard, ses gestes et ses silences sont vrais. L'avoué dit :

– J'ai gagné ce soir trois cents francs au jeu. Je vous en donne la moitié pour faire venir vos documents d'Allemagne. Je vais aussi vous donner cent sous par jour pour vivre. Continuez votre histoire.

---

11 Un procès : l'ensemble des actions devant un tribunal.

CHAPITRE 3

L'HISTOIRE DU COLONEL CHABERT

Le colonel Chabert ne bouge pas. La proposition de Derville est incroyable ! Depuis dix ans, sa femme et la justice ne l'écoutent pas. Aujourd'hui, un jeune avoué lui donne dix pièces d'or ! C'est un vrai miracle[1]. Il veut le remercier. Mais il ne trouve pas les mots. Derville comprend son silence.

– Où en suis-je dans mon histoire ? dit le colonel.

– À votre sortie de la prison de Stuttgart.

– Vous connaissez ma femme ?

– Oui.

– Comment est-elle ?

– Toujours belle.

Le vieil homme fait un signe de la main. Il est heureux car il sort pour la seconde fois de sa tombe.

– Après ma sortie de prison, je ne suis plus un comte de l'Empire. Mais je me retrouve dans la rue comme un chien. Je rencontre un ancien camarade du nom de Boutin. Il ne me reconnaît pas car je n'ai plus de dents, plus de cheveux et plus de sourcils. Ma voix, mes yeux et mon visage sont différents. Mais je lui raconte un souvenir commun et il croit à mon histoire. Nous nous racontons alors nos malheurs. Il m'apprend la défaite de la campagne de Russie et la première abdication de Napoléon. Cela me rend très triste. Avec Boutin, j'ai vu l'Égypte, la Syrie, l'Espagne, la Russie, la Hollande, l'Allemagne, l'Italie, la Dalmatie,

1 Un miracle : un fait qui paraît impossible.

l'Angleterre, la Chine, la Tartarie, la Sibérie. Mais, aujourd'hui, nous ne sommes plus rien.

Le colonel continue son histoire :

– Je n'ai pas la chance d'avoir des parents pour m'aider. Je suis un enfant de l'hôpital[2]. Je suis un soldat. Mon courage est ma seule richesse, et Dieu me protège. Ma famille est le monde et ma patrie[3] est la France. Ah, j'oublie : l'Empereur est mon père. Il m'appelle même *mon Chabert*. Alors, j'ai une seule idée en tête : retrouver ma femme et lui expliquer mon état. J'écris alors une quatrième lettre. J'ai trop mal pour aller moi-même à Paris. Je demande à Boutin de lui porter. Je reste ensuite six semaines à Carlsruhe, car je tombe malade. Mais je ne peux pas vous raconter tous mes malheurs. Il y en a trop. À Strasbourg, je pleure devant un hôtel mais on ne me donne pas de pain. Plus tard, j'apprends que le pauvre Boutin est mort à Waterloo. Je continue ma route. Je couche dans les forêts et mes vêtements sont déchirés. J'arrive à Paris en même temps que les Cosaques[4]. Voir les Russes dans cette ville me fait souffrir. Au faubourg Saint-Martin, je tombe devant la porte d'un marchand de fer. Je me réveille dans un lit d'hôpital. J'y passe un mois heureux mais je dois bientôt partir car je n'ai pas d'argent. Je décide d'aller voir ma femme, rue du Mont-Blanc. Mais mon hôtel n'existe plus. La rue du Mont-Blanc s'appelle maintenant la rue de la Chaussée-d'Antin. Mon ancien avocat me raconte le mariage de ma femme et la naissance de ses deux enfants. Je lui dis qui je suis mais il rit. J'ai alors peur d'être enfermé à nouveau comme un fou. Je réussis à trouver la nouvelle adresse de ma femme et m'y rends mais elle ne veut pas me voir. Elle sait pourtant que j'existe et a reçu même deux lettres de moi. Je reste des nuits

2 Je suis un enfant de l'hôpital : les parents de Chabert l'ont abandonné à sa naissance.
3 La patrie : le pays.
4 Un Cosaque : un cavalier de l'armée russe.

devant chez elle mais je l'aperçois seulement passer dans sa voiture.

Le colonel se lève d'un coup et s'écrie :

– Depuis, je veux me venger[5]. Elle a mes lettres. Elle sait que je vis encore. Mais elle ne m'aime plus. Je l'aime encore ? Je ne sais pas. Son bonheur et sa fortune sont à moi. Et elle ne m'aide pas ! Que vais-je devenir ?

Le colonel tombe sur sa chaise. Derville le regarde avec attention.

– L'affaire est grave, dit l'avoué. Ce procès doit aller devant trois tribunaux. Pouvons-nous gagner ? Je ne sais pas.

– Je veux bien perdre, mais pas tout seul !

5 Se venger : punir quelqu'un qui vous a fait du mal.

Ce ne sont plus les paroles d'un vieillard ! Le colonel Chabert retrouve sa force.

– Il faut peut-être trouver un accord, dit l'avoué.

– Un accord ? Je suis mort ou je suis vivant ?

L'avoué reprend :

– Monsieur, suivez mes conseils. Votre affaire m'intéresse beaucoup. C'est maintenant mon affaire. Pour l'instant, je vais vous prêter de l'argent pour vivre. Voici une lettre pour un notaire. Allez chez lui tous les dix jours et il vous donnera cinquante francs. Si vous êtes le colonel Chabert, vous êtes riche. Vous me rendrez cet argent plus tard.

Il y a deux pièces d'or avec la lettre. Le vieil homme se met à pleurer.

– Donnez-moi le nom de la ville d'Allemagne pour obtenir vos documents, lui demande l'avoué.

Le colonel donne les informations. Puis, il prend son chapeau et tend la main à Derville.

– Après l'Empereur, je vous dois tout. Vous êtes un brave.

L'avoué accompagne le colonel jusqu'à la porte de l'étude. Il dit ensuite à Boucard, son premier clerc :

– Je vais peut-être perdre de l'argent avec cette histoire. Mais ce n'est pas grave, car dans ce cas, je viens de voir le meilleur comédien de notre temps !

Dans la rue, le colonel regarde les deux pièces d'or. Il voit de l'or pour la première fois depuis neuf ans.

– Je vais pouvoir fumer des cigares, se dit-il.

CHAPITRE 4

Chez le colonel Chabert

Trois mois plus tard, le notaire Crottat est dans l'étude de maître Derville. C'est lui qui donne de l'argent au colonel Chabert tous les dix jours. Il demande à Derville de lui rendre cet argent.

–Tu t'amuses à donner de l'argent à un vieux militaire ? dit Crottat.

– Je fais peut-être une erreur.

Au même moment, Derville voit des paquets sur son bureau. Il y a des timbres prussiens, autrichiens, bavarois et français sur une lettre.

– Ah, dit-il, on va savoir !

Il ouvre la lettre. Il ne la comprend pas car elle est en allemand. Il demande à Boucard de la faire traduire.

C'est une lettre du notaire de Berlin. Les documents sur le colonel Chabert vont bientôt arriver à Paris. Ils sont authentiques[1]. Maître Derville peut les utiliser devant un tribunal. La femme qui a trouvé le colonel Chabert dans la neige vit encore à Heilsberg.

– Cela devient sérieux, dit Derville à Boucard.

Puis, l'avoué dit à Crottat :

– J'ai besoin de renseignements sur la succession de Chabert. C'est une affaire de ton étude ?

– Oui. Je me souviens très bien de Rose Chapotel, épouse et veuve de Hyacinthe, dit *Chabert*, comte de l'Empire, grand officier de la Légion d'honneur. Le testament[2] du comte Chabert donne le quart de sa fortune, six cent mille francs, aux hospices de Paris et le reste à l'État. Mais l'Empereur a rendu à la veuve la part de l'État.

– La fortune du comte Chabert est donc seulement de trois cent mille francs.

– Exact !

Derville se rend chez le comte Chabert, dans le faubourg Saint-Marceau, rue du Petit-Banquier. Chabert habite chez un vieux maréchal des logis de la garde impériale[3]. Mais la rue est en terre et le cocher[4] de la voiture ne veut pas la prendre. Derville termine donc le chemin à pied. Il trouve une porte avec le nom : « VERGNIAUD, NOURRISSEUR ». Il y a un dessin avec des œufs et une vache à côté du nom. La porte est ouverte et Derville découvre une maison au fond de la cour.

---

1 Authentiques : vrais.

2 Un testament : document qui explique les volontés d'une personne morte.

3 La garde impériale : les soldats les plus fidèles de Napoléon Ier.

4 Un cocher : le conducteur d'une voiture à cheval.

Les maisons de ce quartier ont la même misère que les cabanes de la campagne. Mais elles sont plus laides encore car il n'y a pas de champs, de chemins ou de vignes pour leur donner un peu de poésie.

La maison est nouvelle, mais elle fait déjà vieille. Elle est construite avec de mauvais matériaux et n'est pas droite. Sur la droite de la cour se trouve un bâtiment avec des vaches. Sur la gauche, il y a une basse-cour[5], une écurie pour les chevaux et un toit pour les cochons. Le mur le plus solide accueille des cages pour les lapins. Au sol, le fumier se mélange avec l'eau de la pluie. C'est sans doute là que les habitants font la cuisine.

Il y a de nombreux animaux : un cheval attend devant l'écurie, une chèvre mange l'herbe d'un mur, un chat passe sa langue sur

5 Une basse-cour : une cour pour les poules et les petits animaux.

des pots de crème et un chien aboie. Derville regarde ce décor horrible et pense :

– L'homme de la bataille d'Eylau est là ?

Il demande à trois enfants si monsieur Chabert habite ici. Ils le regardent d'un air stupide et ne répondent pas. Derville pose sa question une deuxième fois. Il parle plus fort. Mais les enfants rient seulement.

Le colonel apparaît à ce moment-là. Il a une pipe à la bouche et une casquette très sale sur la tête. Il traverse le fumier pour saluer Derville. Il crie aux enfants :

– Silence dans les rangs !

Les enfants se taisent aussitôt.

L'avoué ne veut pas salir ses pieds dans le fumier. Chabert lui montre un chemin sec pour arriver jusqu'à sa chambre. Il est gêné de recevoir l'avoué dans cette petite pièce. Il y a en effet une seule chaise à l'intérieur. De la paille et une vieille couverture servent de lit. Le sol est en terre et les murs sont humides. Le vieux manteau de Chabert pend à un clou. Sur une table, il y a des journaux. Ce sont des *Bulletins de la Grande-Armée*. Chabert est calme. L'avoué le trouve même différent. Il a l'air heureux et plein d'espoir. Chabert montre la chaise à Derville. Puis il demande :

– Ma pipe vous dérange ?

– Colonel, vous êtes très mal ici.

« Il doit utiliser mon argent comme les simples soldats : pour le jeu, le vin et les femmes », se dit Derville.

– C'est vrai, dit le colonel, il n'y a pas de luxe ici. Mais j'ai des amis et je dors tranquille.

– Pourquoi vous n'allez pas dans Paris ?

– Ces gens m'ont accueilli et nourri gratuitement depuis un an. Je ne peux pas les quitter simplement car j'ai maintenant de l'argent. En plus, le père de ces enfants est un vieil Égyptien…

– Un Égyptien ?

– C'est un soldat de l'expédition d'Égypte. Vergniaud et moi sommes comme des frères. J'apprends à lire à ses marmots[6].

– Il peut vous donner une chambre plus belle.

– Bah ! Ils sont pauvres. Leur chambre est comme cette pièce. Mais si je retrouve ma fortune… Enfin, parlons d'autre chose.

– Colonel, j'ai les documents d'Heilsberg. La femme qui vous a trouvé dans la neige vit encore ! Mais votre affaire est très compliquée.

Derville sort de la chambre et se promène au soleil devant la maison.

– Elle est simple, dit le colonel. On me croit mort et je suis là. Rendez-moi ma femme et ma fortune. Faites-moi général.

– Cela ne se passe pas comme cela. Vous êtes le comte Chabert, d'accord. Mais des gens veulent votre mort. Ils vont poser des questions. Ils vont faire de longs procès. Cela coûte beaucoup d'argent. Ils peuvent même demander une enquête en Prusse. Le double mariage de votre femme est aussi un problème. Elle a aujourd'hui des enfants. Son deuxième mariage compte peut-être plus. Votre femme et son mari sont contre vous. Ils sont puissants.

– Et ma fortune ?

L'avoué lui donne les explications de maître Crottat.

– Vous avez le droit seulement à trois cent mille francs.

– C'est cela la justice ?

– Bien sûr…

– Elle est belle !

– Elle est ainsi, mon pauvre colonel. Pour vous et pour votre femme, une transaction est la meilleure des solutions.

– C'est comme vendre ma femme.

– Avec de l'argent, vous trouverez d'autres femmes. Vous serez

---

6 Un marmot : un enfant (familier).

heureux. Je vais aller voir la comtesse Ferraud cet après-midi.

– Allons ensemble chez elle.

– Avec ces habits ? Non, non !

– Je peux gagner mon procès ?

– Bien sûr. Mais il faut beaucoup d'argent.

Le pauvre soldat pleure. La justice est un cauchemar.

– Je peux aller place Vendôme et crier : « Je suis le colonel Chabert de la bataille d'Eylau ! »

– Vous voulez finir chez les fous ?

L'idée fait peur au militaire. Il se calme.

– Je peux aller au ministère de la Guerre ?

– Peut-être. Mais attention, ces bureaux n'aiment pas les gens de l'Empire.

Chabert pense pendant un moment. Il connaît la justice militaire. Elle est rapide. Elle n'hésite pas, elle décide. Mais les paroles de Derville cassent sa volonté.

Peut-il demander ses droits toute sa vie ?

Il préfère être pauvre et, peut-être, être de nouveau militaire.

Il peut gagner ce procès. Mais a-t-il encore de la force ? Et comment faire si une nouvelle difficulté arrive ?

Il ressent le spleen[7] du malheur.

Derville comprend la grande tristesse de son client.

– Courage ! Vous allez gagner cette affaire. Mais laissez-moi faire.

– Comme vous voulez.

– Nous allons faire annuler votre acte de décès et votre mariage. Le comte Ferraud est puissant, il peut vous faire général. Vous pouvez aussi avoir une pension[8].

---

7 Le spleen : une grande tristesse sans explication.

8 Une pension : une somme d'argent reçue régulièrement.

– Je vous fais confiance.

–Adieu, bon courage ! Et si vous avez besoin d'argent, dites-le moi.

Chabert serre la main de Derville. Il le regarde partir.

CHAPITRE 5

Chez la comtesse Ferraud

Derville quitte la maison du colonel Chabert. Un vieil homme lui demande :

– Excusez-moi, vous êtes l'ami de notre général ?

Il porte une veste bleue et une casquette. Son visage est brun et ridé. Mais le travail et le grand air donnent une couleur rouge à ses joues.

– Je suis Louis Vergniaud.

– Le comte Chabert est très mal chez vous !

– Pardon, mais il a la plus belle chambre. Je partage avec lui mon pain, mon lait et mes œufs. Mais il agit mal.

– Lui ?

– J'ai acheté un établissement trop grand. Je n'ai pas d'argent pour le payer. Le colonel utilise votre argent pour le faire. Cela ne se fait pas. Vous êtes un brave homme. Pouvez-vous me prêter une centaine d'écus ? Je veux acheter des habits au colonel. Je veux mettre des meubles dans sa chambre.

Derville regarde le vieil homme. Il fait quelques pas pour revoir la maison.

– C'est difficile d'être propriétaire, dit-il. Tu as tes cent écus. Je ne te les donne pas. C'est le colonel car il sera bientôt riche.

– Ah ! Mon Dieu, ma femme va être contente pour lui !

Derville monte ensuite dans sa voiture. Il va chez la comtesse. Il pense à son rendez-vous avec elle :

– Comment gagner contre la comtesse ? Quel est son jeu ? Je ne dois pas lui montrer mon plan. Comment lui faire peur ? Les femmes ont peur de…

Derville réfléchit au secret de son adversaire, la comtesse Ferraud. Les hommes politiques font cela aussi. Les avoués sont des hommes d'État[1] qui s'occupent des affaires privées[2].

Derville pense à la situation du comte Ferraud et de sa femme.

Avant la Révolution, le père du comte Ferraud était conseiller au parlement de Paris. Il quitte la France pendant la Révolution et revient sous le Consulat. L'empereur Napoléon lui propose de travailler à ses côtés. Mais Ferraud est un fidèle du roi Louis XVIII et il n'accepte pas. Quand il meurt, son fils a vingt-six ans et n'a pas de fortune.

---

1 Un homme d'État : une personne responsable des affaires d'un pays.

2 Des affaires privées : affaires d'une personne et non de l'ensemble des gens.

De son côté, la comtesse Chabert est riche depuis la mort de son mari, le colonel Chabert. L'Empereur est favorable à son mariage avec le comte Ferraud. Il veut en effet rapprocher l'ancienne et la nouvelle noblesse[3]. Ainsi, il rend à la comtesse l'argent des impôts de la succession du colonel Chabert pour l'aider à se marier. Le comte Ferraud, même si ses amis de la noblesse sont contre, épouse donc la comtesse Chabert.

Après la chute de Napoléon, au début de la Restauration, le comte Ferraud devient conseiller d'État. Mais ses ambitions sont plus grandes. Ami du roi et intelligent, il rêve en effet d'un grand avenir. Mais son mariage est un problème. Sa femme n'est pas d'une famille noble et ne peut pas l'aider dans ses projets.

Malgré sa grande fortune, la comtesse Ferraud a donc peur que le comte Ferraud casse leur mariage.

La voiture de Derville s'arrête rue de Varenne, devant l'hôtel Ferraud.

– Le comte Ferraud est riche et le roi l'aime, se dit Derville. Mais il n'est pas pair de France[4]. Sans la comtesse, il peut épouser la fille d'un vieux sénateur. Le roi sera content et le comte deviendra pair de France. Voilà comment je peux faire peur à la comtesse.

La comtesse Ferraud accueille Derville dans une belle salle à manger. Elle déjeune et joue en même temps avec un petit singe. Il y a du luxe dans toute sa maison.

« Cette jolie femme ne peut pas reconnaître son mari dans un vieux manteau », se dit Derville.

– Bonjour monsieur Derville.

– Bonjour madame, je viens vous parler d'une affaire grave.

– Malheureusement, monsieur le comte n'est pas là.

– Tant mieux. Je préfère vous parler sans lui.

---

3 Ancienne et nouvelle noblesse : noblesse avant et après la Révolution.

4 Un pair de France : un membre de la Chambre des pairs, choisi par le roi Louis XVIII.

CHAPITRE 5

– Je vais appeler Delbecq, mon conseiller.

– Cela est inutile. Écoutez, madame, ne perdons pas de temps : le comte Chabert est vivant.

Elle rit très fort.

– Madame, dit Derville, vous savez que je m'occupe d'affaires sérieuses. J'ai des preuves de ce que je dis. Vous avez d'ailleurs reçu vous-même des lettres de sa part.

– C'est faux ! Le colonel ne peut pas ressusciter. Bonaparte a annoncé sa mort.

Les avoués sont habitués à rester calmes.

« À nous deux[5] », se dit Derville.

– Il y avait de l'argent dans la première lettre du colonel…

– Oh ! Non, il n'y avait pas d'argent.

– Vous l'avez donc reçue ! dit Derville. Regardez ! Vous tombez dans le premier piège[6] avec moi. Comment pouvez-vous alors gagner contre la justice ?

La comtesse rougit. Puis elle devient toute blanche. Elle cache son visage dans ses mains.

– Vous êtes donc l'avoué d'un homme qui dit être Chabert.

– Madame, je suis aussi votre avoué. Je veux le rester. Mais vous ne m'écoutez pas.

– Parlez, monsieur.

– Vous avez une très grande fortune. Mais votre mari est pauvre. L'opinion publique[7] sera contre vous.

– J'ai deux enfants de mon second mariage. Les tribunaux seront pour moi.

– D'un côté, il y a une mère et ses deux enfants. De l'autre, il y a un homme malheureux. Que vont penser les tribunaux ? Cela est difficile à dire. Mais vous avez un autre adversaire.

---

5 À nous deux : je suis prêt pour la bataille.

6 Tomber dans le piège : se laisser attraper.

7 Une opinion publique : les idées de la majorité de la population.

– Qui ?

– Monsieur le comte Ferraud.

– Le comte a du respect pour la mère de ses enfants. Il m'aime.

– Mais s'il apprend l'affaire…

– Le comte est avec moi. Il ne veut pas m'abandonner.

– Même s'il peut ensuite se marier avec la fille d'un pair de France ? Même s'il peut ainsi devenir pair de France ?

La comtesse devient toute pâle.

« Je vais gagner l'affaire du colonel », se dit l'avoué.

– Et vous, vous retrouvez le comte Chabert, général, comte, grand officier de la Légion d'honneur. Ce n'est pas horrible…

– Arrêtez ! Que faire ?

– Trouvez un accord avec le comte Chabert ! dit Derville.

– M'aime-t-il encore ?

– Bien sûr.

La comtesse est contente d'entendre cela. L'amour de son premier mari peut l'aider. Si elle joue bien, elle peut même gagner le procès.

– J'attends donc vos ordres, madame, dit Derville. Je peux vous envoyer les documents de l'accord ou bien vous pouvez venir les signer chez moi.

CHAPITRE 6

La transaction

Huit jours plus tard, le colonel Chabert et la comtesse Ferraud ont rendez-vous à l'étude de maître Derville. C'est une belle matinée du mois de juin.

Le colonel arrive le premier devant chez Derville. Il saute de sa voiture comme un jeune homme. Il est bien habillé. Il se tient droit. Il a un air grave et mystérieux. Il ressemble à un vieux héros plein de gloire. Mais il fait aussi plus jeune que son âge.

La belle voiture de la comtesse Ferraud arrive après. Sa tenue est simple. Elle l'a choisie pour montrer sa jeunesse.

L'étude de l'avoué, par contre, est aussi vieille qu'au début de cette histoire.

Simonnin, le petit clerc, s'écrie :

– On parie un spectacle : le colonel Chabert sera bientôt général.

– Le patron est fort, dit Godeschal.

– Nous ne faisons pas de blague au colonel cette fois ?

– Sa femme va lui faire une blague, dit Boucard.

– Elle va avoir deux maris…, dit Godeschal.

Le colonel entre dans l'étude. Il demande à Simonnin :

– Ton patron est là ?

– Il est là, monsieur le comte.

Chabert attrape l'oreille du clerc et dit :

– Ah tiens, tu n'es plus sourd, petit drôle ?

Les autres clercs se mettent alors à rire. Derville installe Chabert dans la chambre à coucher. Quelques instants après, la comtesse entre dans l'étude.

– Cette femme va aller les jours pairs[1] chez le comte Ferraud et les jours impairs[2] chez le comte Chabert.

– Le compte est bon dans les années bissextiles[3], dit Godeschal.

– Taisez-vous, dit Boucard. On ne rit pas des clients dans une étude.

La comtesse entre dans le bureau de Derville. L'avoué lui dit :

– Le comte Chabert est dans la pièce à côté, mais si vous voulez le voir...

– Non. C'est très bien comme cela.

– Voici le document.

– Lisez, dit la comtesse avec impatience.

Derville lit :

« Entre monsieur Hyacinthe, dit *Chabert*, comte, maréchal de camp et grand officier de la Légion d'honneur, demeurant à Paris, rue du Petit-Banquier ; Et la dame Rose Chapotel, épouse de monsieur le comte Chabert... »

– Passez les présentations, allez aux conditions.

– Bien madame. Dans l'article premier, vous dites que monsieur Hyacinthe est bien le comte Chabert, votre premier mari. Dans le second article, le comte Chabert accepte de ne pas retrouver ses droits. Pour cela, il faut annuler par un jugement son acte de décès et votre mariage avec lui.

– Cela ne va pas du tout. Je ne veux pas de procès. Vous savez pourquoi.

– Dans l'article trois, continue Derville, vous donnez une pension de vingt-quatre mille francs au comte Chabert.

– C'est beaucoup trop, dit la comtesse.

– Que voulez-vous donc, madame ?

– Je veux... je ne veux pas de procès... je veux...

– Qu'il reste mort, dit Derville pour la comtesse.

---

1 Pair : 2, 4, 6, 8... sont des nombres pairs.

2 Impair : 1,3,5,7... sont des nombres impairs.

3 Une année bissextile : une année de 366 jours.

– Monsieur, dit la comtesse, si vous voulez vingt-quatre mille francs, nous irons au procès.

Le colonel ouvre alors la porte et s'écrie :

– Oui, allons au procès !

La comtesse se dit : « C'est lui ! »

– Trop cher ? continue le vieux soldat. Dans ce cas, je vous veux, vous et ma fortune.

– Monsieur n'est pas le colonel Chabert, dit la comtesse.

– Vous voulez des preuves ? dit le comte. Je vous ai prise au Palais-Royal[4].

La comtesse devient blanche. Le colonel n'aime pas faire du mal à sa femme. Mais elle le regarde avec une grande méchanceté. Alors, il continue :

– Je me souviens de…

– Monsieur, dit la comtesse à l'avoué, permettez-moi de partir. Je ne veux pas entendre ces horreurs.

Elle se lève et sort. Derville court pour la rattraper. Mais il est trop tard. Quand il revient dans son cabinet, le comte est furieux.

– Elle n'a pas de cœur, dit le comte.

– Pourquoi êtes-vous sorti de la chambre ? Mais il y a du bon : je suis maintenant sûr de votre identité. Sa réaction en est la preuve. Mais elle peut gagner le procès car elle sait que personne ne peut vous reconnaître !

– Je vais la tuer.

– Vous êtes fou ! Laissez-moi faire. Je vais lui faire signer les documents. Allez-vous-en et faites attention. Elle peut vous tendre un piège. Elle veut vous mettre chez les fous.

Le colonel quitte l'étude. Il descend lentement l'escalier. Sa femme apparaît.

– Venez, monsieur, dit-elle.

---

4 Je vous ai prise au Palais-Royal : cette phrase sous-entend que la comtesse est une ancienne prostituée rencontrée sur la place du Palais-Royal, à Paris.

Elle prend son bras comme avant. Sa voix et son geste sont doux. Le colonel se calme et la suit. Ils vont jusqu'à la voiture de la comtesse.

– Montez !

Le comte se retrouve assis près de sa femme. Il est comme dans un rêve.

– À Groslay, dit-elle au cocher.

La voiture se met en route. Elle traverse Paris.

– Monsieur, dit la comtesse.

Ce mot fait trembler le vieux soldat. La comtesse le dit avec la voix d'une grande comédienne. Ce mot veut tout dire. Il est une prière, un pardon, un espoir, une question et une réponse. Et, en même temps, il est mystérieux. Le colonel se sent tout à coup coupable[5] de ses demandes. Il baisse les yeux.

– Monsieur, je sais que c'est vous.

5 Se sentir coupable : avoir l'impression de faire une faute.

– Rosine, dit le vieux soldat, je vous écoute et j'oublie tous mes malheurs.

Deux grosses larmes du colonel tombent sur les mains de sa femme. Il serre ses mains avec la tendresse d'un père.

– Monsieur, je veux trouver une solution en famille. J'ai reçu vos lettres, bien sûr. Mais comment savoir si elles étaient vraiment de vous ou d'un autre ? Je devais faire attention. Je devais protéger ma famille. J'ai raison ?

– Vous avez raison. Je suis stupide. Je n'ai pas pensé aux conséquences de mes actes. Mais où allons-nous ?

– À Groslay, dans la vallée de Montmorency, chez moi. Nous allons réfléchir à notre situation. Je suis peut-être encore votre femme pour la justice mais je ne vous appartiens plus. Gardons cette affaire pour nous et ne donnons pas un triste spectacle à Paris. Vous m'aimez encore mais moi, n'avais-je pas le droit de continuer ma vie ? Je connais votre bonté. Vous pouvez me pardonner mes fautes. Je vous le dis : j'aime le comte Ferraud et j'ai le droit de l'aimer.

Le colonel fait un signe de la main. Il ne veut pas entendre. Ils restent silencieux pendant un moment.

– Rosine !

– Monsieur ?

– Les morts ont-ils tort de revenir ?

– Oh, non ! Je suis votre épouse. Mais je suis maintenant une mère et une femme mariée. Je ne peux plus vous aimer comme votre femme. Mais je peux vous aimer comme une fille aime son père.

– Rosine, dit le vieil homme avec une voix douce. Je ne vous en veux pas. Nous allons tout oublier. Vous ne m'aimez plus ? Alors, je ne demande pas votre amour.

La comtesse le remercie du regard. À cet instant, le pauvre colonel veut être dans sa tombe à Eylau. Certains hommes s'effacent pour le bonheur de la personne qu'ils aiment.

CHAPITRE 7

La trahison

Les deux époux font un voyage charmant vers Groslay. Ils parlent de leur passé et de l'Empire. Les mots de la comtesse sont doux. Elle fait revivre leur amour. Mais elle ne cherche pas à séduire à nouveau le comte Chabert. Elle veut l'habituer à une nouvelle relation entre eux : le simple bonheur d'un père et de sa fille.

Le colonel a connu une comtesse de l'Empire. Il découvre une comtesse de la Restauration.

La maison de la comtesse est dans un grand parc entre Margency et Groslay. Tout est déjà prêt pour leur arrivée.

Pendant trois jours, la comtesse s'occupe avec tendresse de son premier mari. Veut-elle lui faire oublier ses malheurs ? Veut-elle se faire pardonner ? Elle connaît ses faiblesses et les utilise pour le charmer. Elle lui parle de sa situation et contrôle, petit à petit, son esprit. Que veut-elle faire de cet homme ? Elle ne le sait pas encore. Mais son but est clair : il doit oublier son nom.

Le troisième soir, la comtesse monte dans sa chambre. Elle a besoin de calme. Elle écrit une lettre à Delbecq. Elle lui demande d'aller chercher les documents sur le colonel Chabert chez Derville. Elle veut les lire. Au même moment, elle entend le colonel qui vient la retrouver.

– Hélas ! dit-elle tout haut. Pourquoi ne suis-je pas morte ? Ma situation est terrible…

– Qu'avez-vous ? demande le colonel.

– Rien, rien, dit-elle.

Elle se lève et laisse le colonel seul. Elle descend donner la lettre à sa femme de chambre pour qu'elle la porte à Delbecq. Puis, elle s'assied sur un banc bien visible et attend le colonel. Il arrive en effet aussitôt et s'installe près d'elle.

– Rosine, qu'avez-vous ?

Elle ne répond pas. La soirée est magnifique. L'air est pur. La campagne est silencieuse. On entend des enfants. L'atmosphère est agréable et douce.

– Vous ne répondez pas ? dit le colonel.

– Mon mari…

Elle s'arrête, puis lui demande :

– Comment dois-je appeler monsieur le comte Ferraud ?

Le colonel répond avec une voix pleine de bonté.

– Dis ton mari, ma pauvre enfant. Il est le père de tes enfants.

– Comment lui expliquer la présence d'un inconnu ici ? Écoutez, monsieur, je fais ce que vous voulez pour notre affaire…

– Ma chère, dit-il, je vais me sacrifier pour votre bonheur…

– C'est impossible. Car vous devez pour cela oublier votre nom de façon authentique [1].

– Pourquoi ? Ma parole ne suffit pas ?

Le mot *authentique* fait mal au colonel. Il regarde sa femme. Doit-il se méfier d'elle ? Doit-il la mépriser [2] ? Il a peur des réponses. La comtesse, elle, s'inquiète. Demande-t-elle trop ? Ils entendent un enfant crier :

– Jules, laissez votre sœur tranquille, dit la comtesse.

– Quoi ! Vos enfants sont ici ?

– Oui, mais ils n'ont pas le droit de vous embêter.

Le colonel embrasse la main de la comtesse.

– Laissez-les venir, dit-il.

1 Authentique : ici, dans un document officiel.
2 Mépriser : ne pas avoir de respect.

Les deux enfants courent vers leur mère et crient :

– Maman !

– Maman !

– C'est lui qui...

– C'est elle.

Les enfants tendent les mains vers leur mère. Ils parlent en même temps. Le tableau est charmant.

– Pauvres enfants ! dit la comtesse. Qui va les garder après le procès ? On ne peut pas les séparer. Je les veux, moi !

Jules dit au comte :

– Vous faites pleurer maman.

– Taisez-vous, Jules, dit la comtesse.

Le garçon et la petite fille restent debout. Ils regardent leur mère et l'inconnu.

– Oh ! dit la comtesse, si on me sépare du comte, je veux mes enfants. Et alors, tout peut m'arriver...

Ces paroles touchent le comte.

– Je vais rentrer sous terre, dit le colonel.

– Puis-je accepter ce sacrifice ? Non. Vous ne pouvez pas cacher votre nom chaque jour de votre vie. C'est impossible. Ah... Sans mes enfants, je pars avec vous au bout du monde.

Le comte demande :

– Je ne peux pas vivre ici comme un de vos parents ? Je suis si fatigué.

La comtesse pleure. Le comte aime voir cette mère avec ses enfants. Elle gagne la partie : le colonel Chabert décide de rester mort.

– Que dois-je faire pour laisser votre famille vivre dans le bonheur ? demande-t-il.

– Faites comme vous voulez, répond la comtesse. Je ne veux pas m'occuper de cette affaire.

Le lendemain, Delbecq et le colonel vont chez un notaire à Saint-Leu-Taverny. Mais le document préparé par le notaire déplaît fortement au colonel. Il sort de l'étude et dit :

– Je ne peux pas mentir comme cela !

– Monsieur, dit Delbecq, ne signez pas trop vite. Madame peut vous donner plus d'argent si vous faites un procès.

Le colonel regarde Delbecq avec violence. Il ne sait plus quoi penser. Il le quitte et retourne chez la comtesse. Il rentre dans le parc par un trou dans le mur et va s'installer sous un kiosque[3].

La comtesse est assise dans ce même kiosque mais elle ne l'entend pas arriver. Quand elle voit Delbecq sur le chemin, elle lui crie :

---

3 Un kiosque : un petit bâtiment ouvert sur tous les côtés dans un jardin.

– Il a signé ?

– Non, madame. Je ne sais pas où il est. Le vieux cheval se révolte !

– Nous devons alors le faire mettre chez les fous.

À ce moment-là, le colonel surgit et se place devant Delbecq. Il lui donne une claque et dit :

– Tu peux aussi dire que le vieux cheval sait donner des coups !

Le colonel retourne ensuite lentement vers le kiosque. Il vient de se rendre compte des manœuvres de la comtesse. Il ressent à nouveau des douleurs physiques et morales. Il n'y a pas de paix pour lui. Il doit donc se battre contre cette femme et commencer une longue vie de procès. Mais où trouver l'argent pour le procès ? Tout d'un coup, la vie le dégoûte et il a envie de mourir.

Il arrive enfin devant le kiosque. La comtesse est toujours là. Elle regarde calmement le paysage et essuie de fausses larmes sur son visage. Quand le colonel se place devant elle et croise les bras avec un air sévère, elle frissonne. Le colonel la regarde un long moment en silence puis dit :

– Madame, je vous méprise. Je ne vous aime plus. Je ne veux rien. Vivez tranquille. Je ne demande plus de retrouver mon nom. Je suis seulement le pauvre Hyacinthe. Adieu.

La comtesse se jette à ses pieds. Elle lui demande de rester mais il la repousse.

– Ne me touchez pas.

Le colonel la quitte et la comtesse espère pouvoir vivre de nouveau en paix.

CHAPITRE 8

Hyacinthe, numéro 164

Pendant les six mois suivants, Derville n'a pas de nouvelles du colonel et de la comtesse Ferraud.

« Ils ont trouvé un accord », se dit-il.

Mais le comte Chabert lui doit de l'argent. Alors, un matin, il écrit à la comtesse. Elle doit savoir où il est.

Le lendemain, il reçoit une lettre de Delbecq :

« Monsieur, votre client n'est pas le comte Chabert. Il a menti.

Delbecq »

L'avoué est déçu. Il a été généreux et stupide. Il a perdu de l'argent avec cette affaire.

Quelque temps après, Derville est au Palais de justice. Il entend la condamnation d'un homme. Le malheureux doit passer le reste de sa vie dans un établissement pour pauvres à Saint-Denis. Il s'appelle Hyacinthe.

Derville reconnaît son faux colonel Chabert. Le vieux soldat est calme. Il est presque ailleurs. Il est habillé avec des vieux vêtements usés. Mais son air est noble. Derville le suit au greffe[1]. Dans cette pièce sale et sombre, trois gendarmes surveillent d'autres vagabonds. Chabert s'assied avec tous ces malheureux silencieux ou qui parlent à voix basse. Derville les observe quelques instants. La vie de ces pauvres malheureux finit toujours par la guillotine[2] ou le suicide.

1 Un greffe : lieu du Palais de justice où l'on garde les documents.
2 Une guillotine : un instrument pour couper la tête des condamnés à mort.

– Vous me reconnaissez ? dit Derville au vieux soldat.

– Oui, monsieur.

– Pourquoi ne m'avez-vous pas donné mon argent ?

– Quoi ? Madame Ferraud ne vous a pas remboursé ?

– Elle ne veut pas. Elle dit que vous avez menti, vous n'êtes pas le comte Chabert.

Le colonel lève les yeux vers le ciel.

– Monsieur, je peux écrire une lettre pour votre argent.

Derville demande à un gendarme la permission et Hyacinthe écrit quelques lignes à la comtesse Ferraud.

– Envoyez cette lettre à la comtesse. Je vous dois beaucoup. Vous êtes dans mon cœur. Mais que peut faire un malheureux ? Il aime, c'est tout.

– Mais vous recevez de l'argent de la comtesse ?

– Ne me parlez pas de cela. J'ai une maladie : le mépris de l'humanité. Napoléon est à Sainte-Hélène, c'est terrible… Je ne peux pas être soldat à nouveau. C'est mon malheur. J'aime le luxe dans les sentiments. Je ne l'aime pas sur les habits. Personne ne peut me mépriser.

Derville retourne à son étude. Il envoie Godeschal donner la lettre à la comtesse. Elle paye tout de suite.

En 1840, vers la fin du mois de juin, Derville se promène à Bicêtre, près de Paris. Il est avec le jeune avoué qui a repris son étude, Godeschal. Sous un arbre de la grande avenue, ils voient un mendiant qui habite à l'hospice de la *Vieillesse*. Il fait sécher au soleil du tabac sur ses mouchoirs. Il porte les habits de l'hospice.

– Regardez, Derville, dit le jeune avoué, ce vieux ressemble à ces hommes qui viennent d'Allemagne.

Derville regarde le pauvre homme et le reconnaît.

– La vie de ce vieux est une tragédie, dit-il. Connais-tu la comtesse Ferraud ?

– Oui, c'est une femme intelligente et très agréable.

– Cet homme est son mari, le comte Chabert. Il est là car il a dit un jour à la comtesse : « Je vous ai trouvée sur la place du Palais-Royal. » Je me souviens encore du regard de la comtesse !

Derville raconte l'histoire du colonel Chabert au jeune avoué. Deux jours plus tard, les deux hommes voient de nouveau le vieil homme. Il est assis et fait des traits dans le sable avec un bout de bois.

– Bonjour colonel Chabert, dit Derville.

– Pas Chabert ! Je suis Hyacinthe, répond-il. Je ne suis plus un homme. Je suis le numéro 164, septième salle.

– Vous voulez de l'argent pour acheter du tabac ? demande Derville.

Le colonel tend la main. Les deux avoués donnent une pièce de vingt francs. Chabert les remercie :

– Braves soldats !

Il tend son bout de bois vers eux et crie :

– Feu ! Vive Napoléon !

Derville dit :

– Il retombe en enfance à cause de sa blessure.

Un autre vieux de l'hospice crie alors :

– Lui, en enfance ? Il ne faut pas lui marcher sur le pied. C'est un vieux malin. Mais il est là depuis 1820. C'est très long.

– Quelle vie il a eue ! dit Derville. Il la commence à l'hospice des *Enfants trouvés*. Puis il aide Napoléon à conquérir l'Égypte et l'Europe. Et, enfin, il va mourir à l'hospice de la *Vieillesse*.

Puis il ajoute pour le jeune avoué :

– Trois hommes de notre société ne peuvent pas aimer le monde.

Ce sont le prêtre, le médecin et l'homme de justice. Ils ont des robes noires car ils portent le deuil[3] des illusions et des vertus[4]. Le plus malheureux est l'avoué. Le prêtre sauve l'homme. Mais, nous, les avoués, on voit seulement les mauvais sentiments. Nos études sont des égouts[5]. On ne peut pas les laver. On voit un père tout donner à ses enfants et mourir sans argent. On voit brûler des testaments. On voit des maris voler leurs femmes. On voit des femmes tuer leurs maris. J'ai vu beaucoup de choses. La justice est parfois impuissante. Les histoires des romans sont en dessous de la réalité. Vous allez connaître de jolies choses, vous ! Moi, je vais vivre à la campagne avec ma femme. Paris me fait horreur.

Paris, février-mars 1832.

---

3 Porter le deuil : regretter la disparition de quelqu'un ou de quelque chose.
4 Une vertu : ce qui fait le bien.
5 Un égout : l'endroit où vont les eaux sales des maisons.

Activités

CHAPITRE 1

1 piste 1 → **Écoutez le chapitre. Vrai ou faux ? Cochez la bonne réponse. Justifiez lorsque vous pensez que c'est faux.**

	Vrai	Faux
1. L'histoire commence le matin, entre huit et neuf heures.	☐	☐
2. Dans l'étude, tous les clercs travaillent.	☐	☐
3. Simonnin dit à l'inconnu où est son patron.	☐	☐
4. L'inconnu veut parler à Derville.	☐	☐
5. L'inconnu s'appelle Chabert.	☐	☐
6. Godeschal gagne son pari.	☐	☐

Justification :

....

....

2 **Avez-vous bien compris ? Cochez la bonne réponse.**

1. Qui est le chef de Simonnin ?
☐ a. Le colonel Chabert.
☐ b. Boucard, le premier clerc.

2. Comment est l'étude ?
☐ a. Vieille et laide.
☐ b. Nouvelle et belle.

3. Pourquoi l'inconnu vient à l'étude ?
☐ a. Pour parler d'une affaire.
☐ b. Pour chercher du travail.

4. Que fait maître Derville d'après Godeschal ?
☐ a. Il déjeune.
☐ b. Il dort.

5. Quand doit revenir l'inconnu ?
☐ a. À une heure du matin.
☐ b. À midi.

3 Lisez le chapitre 1. Soulignez la forme correcte.

Il est entre huit heures et neuf heures du *soir / matin*. L'étude est une *grande / petite* pièce avec un poêle. Des clercs travaillent. D'autres clercs *mangent / préparent* le déjeuner. Il y a une tasse de *chocolat / café*, du pain, du fromage et de la viande sur une vieille *table / cheminée*. La pièce sent la nourriture, le papier, le poêle et la poussière. Elle sent très *mauvais / bon*. Sur les murs, il y a de grandes affiches *vertes / jaunes*. Un grand meuble contient les *dossiers / documents* de l'étude. Les *bureaux / fenêtres* sont sales. Il n'y a pas beaucoup de lumière. Avant dix heures, il faut une lampe pour *dessiner / écrire*. L'étude est vieille, *laide / belle*.

4 Conjuguez les verbes pronominaux au présent.

1. Les *saute-ruisseaux* (se moquer) .... des clients.

2. Tu (s'occuper) .... de l'affaire de l'inconnu.

3. Nous (se moquer) .... des personnes âgées.

4. Il (s'occuper) .... de sa famille.

5. Vous (se moquer) .... de ses habits.

6. Je (s'occuper) .... de le faire partir.

5 Pourquoi un clerc se demande si l'inconnu est vraiment le colonel Chabert ?

....

....

....

....

6 À votre avis, pourquoi Boucard veut faire partir l'inconnu ?

....

....

....

....

CHAPITRE 2

1 Lisez le chapitre. Avez-vous bien compris ? Cochez la bonne réponse.

1. Maître Derville :
- ☐ **a.** aime travailler la nuit.
- ☐ **b.** est vieux.
- ☐ **c.** est un mauvais avoué.

2. Le colonel Chabert :
- ☐ **a.** porte des habits de bal.
- ☐ **b.** est jeune et gros.
- ☐ **c.** ressemble à un mort.

3. À Eylau, un cheval :
- ☐ **a.** sauve la vie de Chabert.
- ☐ **b.** emporte Chabert loin de la bataille.
- ☐ **c.** sort Chabert de la neige.

4. Le colonel Chabert quitte Heilsberg :
- ☐ **a.** avec tous les documents officiels.
- ☐ **b.** sans les documents officiels.
- ☐ **c.** avec beaucoup d'argent.

5. Le colonel pleure, car :
- ☐ **a.** Derville ne veut pas l'aider.
- ☐ **b.** Derville est poli avec lui.
- ☐ **c.** sa blessure lui fait mal.

2  piste 2 → **Écoutez le chapitre. Qui fait quoi ? Associez.**

1. Chabert
2. Derville
3. Boucard

a. Il accueille le colonel à l'étude.
b. Il reconnaît le malheur sur le visage du colonel.
c. À Eylau, il charge les soldats russes.
d. Il écoute avec intérêt l'histoire du colonel.
e. Il veut récupérer son nom, sa femme et sa fortune.
f. Il fait une déclaration chez un notaire d'Heilsberg.
g. Il donne de l'argent pour récupérer les documents d'Allemagne.
h. Il explique au colonel la vie de son patron.

3 Pour chaque personnage, barrez ce qui est faux.

1. Derville → Il a une vie active. Il est soldat. Il travaille la nuit.
2. Chabert → Il est presque mort à Eylau. Il a une blessure à la tête. Sa femme lui donne son argent.
3. Boucard → Il écoute l'histoire du colonel. Il range des dossiers. Son patron lui explique ses idées.

4 Complétez avec le bon adjectif indéfini : *tout, toute, tous, toutes*.

1. Il fait sombre dans .... l'étude.
2. L'avoué écoute .... le récit du colonel.
3. Derville travaille .... la nuit.
4. Il veut gagner .... ses affaires.
5. Boucard range .... les dossiers.
6. Boucard peut le laisser .... seul avec l'inconnu.

5 Pourquoi le colonel Chabert ne meurt pas à Eylau ?

....

....

....

....

6 À votre avis, pourquoi maître Derville aide le colonel Chabert ?

....

....

....

....

CHAPITRE 3

1 piste 3 → **Écoutez le chapitre. Vrai ou faux ? Cochez la bonne réponse. Justifiez lorsque vous pensez que c'est faux.**

	Vrai	Faux
1. Derville connaît la femme du colonel.	☐	☐
2. Les parents du colonel l'aident à retrouver sa femme.	☐	☐
3. Le colonel arrive à Paris en même temps que l'armée russe.	☐	☐
4. Chabert parle pendant des nuits avec sa femme.	☐	☐
5. Derville est sûr que le colonel Chabert dit la vérité.	☐	☐

Justification :

....

....

2 **Complétez la grille avec des mots du chapitre et retrouvez le mot qui se cache verticalement.**

1. Boutin est un ancien .... du colonel Chabert.
2. Pour Derville, la femme du colonel est toujours ....
3. Si le colonel dit faux, c'est le meilleur .... de notre temps !
4. À Paris, le colonel passe un mois heureux dans un ....
5. Derville conseille au colonel de trouver un .... avec sa femme.
6. Un avoué donne de l'or à Chabert, c'est un vrai .... !
7. Le colonel écrit plusieurs .... à sa femme.
8. Avec les pièces, Chabert va fumer des ....
9. Derville donne une lettre et deux pièces d'................. à Chabert.
10. Il faut le nom de la ville en Allemagne pour obtenir les ....

Mot mystère :

« Boutin m'apprend la première .... de Napoléon. »

1 C

2 E

3 C

4 H

5 A

6 M

7 L

8 C

9

10 D

3 Lisez le chapitre. Complétez le récit du colonel avec les mots suivants :

argent - nuits - adresse - femme - lit - mariage - porte - enfants - ville - voiture.

J'arrive à Paris en même temps que les Cosaques. Voir les Russes dans cette .... me fait souffrir. Au faubourg Saint-Martin, je tombe devant la .... d'un marchand de fer. Je me réveille dans un .... d'hôpital [...] je dois bientôt partir, car je n'ai pas d'........................... . Je décide d'aller voir ma .... rue du Mont-Blanc. Mais mon hôtel n'existe plus. [...] Mon ancien avocat me raconte le .... de ma femme et la naissance de ses deux .... [...] Je réussis à trouver la nouvelle .... de ma femme et m'y rends [...] Je reste des .... devant chez elle, mais je l'aperçois seulement passer dans sa ....

4 Conjuguez les verbes à l'impératif.

1. ....moi le nom de la ville en Allemagne. (donner, 2e personne pluriel)
2. .... un accord. (trouver, 1re personne pluriel)
3. .... ton histoire. (raconter, 2e personne singulier)
4. ....cette vieille personne. (aider, 2e personne pluriel)
5. .... cet argent. (prendre, 1re personne pluriel)
6. .... le colonel Chabert. (être, 2e personne singulier)

5 Pourquoi Boutin ne reconnaît pas le colonel ?

....

....

6 À votre avis, pourquoi sa femme ne veut plus voir le colonel ?

....

....

CHAPITRE 4

1 Lisez le chapitre 4. Vrai ou faux ? Cochez la bonne réponse. Justifiez lorsque vous pensez que c'est faux.

	Vrai	Faux
1. Derville reçoit une lettre en allemand du notaire de Berlin.	☐	☐
2. Chabert habite dans une belle maison neuve.	☐	☐
3. Vergniaud est un ancien soldat.	☐	☐
4. Chabert apprend à lire à la femme de Vergniaud.	☐	☐
5. Derville trouve l'affaire de Chabert très simple.	☐	☐
6. Chabert fait confiance à Derville.	☐	☐

Justification :

....

....

2 piste 4 → **Écoutez le chapitre. Classez les phrases dans l'ordre de l'histoire.**

a. Chabert regarde l'avoué partir.
b. Derville reçoit les documents d'Allemagne.
c. Le colonel accueille l'avoué dans une petite pièce.
d. Derville annonce la bonne nouvelle à Chabert : il a les documents d'Allemagne.
e. Derville se rend en voiture chez le colonel Chabert.
f. Chabert accepte l'offre de Derville : il lui fait confiance.
g. Derville demande à des enfants si Chabert habite ici.
h. Derville explique en détail son affaire à Chabert.

1	2	3	4	5	6	7	8
....	....	....	....	....	....	....	....

3 **Complétez les phrases avec les mots suivants :**
question - timbres - argent - pied - fous - droite - procès - enfants - gauche - terre - paquets - peur.

1. Derville voit des .... sur son bureau. Il y a des .... de différents pays.
2. La rue est en .... Derville termine le chemin à ....
3. Sur la .... , il y a un bâtiment avec des vaches. Sur la .... , il y a une écurie.
4. Les .... ne répondent pas, alors Derville pose sa .... une deuxième fois.
5. L'idée de finir chez les .... fait .... au colonel.
6. Le colonel peut gagner un .... mais cela coûte beaucoup d'....................... .

4 Conjuguez les verbes au futur proche.

1. Votre femme et son mari (faire) .... de longs procès.
2. Derville (continuer) .... le chemin à pied.
3. Vous (voir) .... la comtesse dans l'après-midi.
4. Nous (gagner) .... cette affaire.
5. Je (partir) .... de chez vous dans cinq minutes.
6. Tu (dire) .... au colonel que je suis là.

5 Observez les adjectifs soulignés. Écrivez le contraire.

1. Chabert habite chez un jeune maréchal des logis.
→ ....
2. Les enfants regardent Derville d'un air intelligent. →
....
3. Les amis de Chabert sont riches. → ....
4. Les ennemis de Chabert vont faire de courts procès.
→ ....
5. La justice militaire est lente. → ....
6. Le comte Ferraud est faible. → ....

6 Pourquoi Chabert reste dans cette vieille maison laide ?

....
....
....
....

7 À votre avis, Chabert doit faire un procès contre sa femme ou trouver un accord ?

....
....
....
....

CHAPITRE 5

1 Lisez le chapitre. Complétez la grille avec des mots du chapitre et retrouvez le mot qui se cache verticalement.

1. La comtesse a fait deux ....

2. La comtesse est sûre : son mari ne veut pas l'....................... .

3. Le .... de Vergniaud est brun et ridé.

4. Il y a du .... dans la toute la maison de la comtesse.

5. Le mariage du comte est pour lui un ....

6. Le comte est de grande ....

7. L' .... du comte Ferraud est grande.

8. La comtesse tombe dans le .... de Derville.

9. Derville veut faire .... à la comtesse.

10. La comtesse a une très grande ....

Mot mystère :

En plus du colonel, le comte Ferraud est aussi un .... de la comtesse.

		1	M											
		2				N								
						3				A				
			4			X								
					5				B					
	6	N						S						
						7		M						
					8	P								
			9			U								
10			R											

2 Corrigez les erreurs soulignées dans le résumé.

La comtesse accueille Derville dans une belle cuisine (....................). Elle dîne (..................). Elle joue avec un grand chat (..................). Derville lui dit que le comte Chabert est mort (.........................). Elle a d'ailleurs reçu des coups de téléphone (.........................) de lui. « C'est vrai » (....................), répond-elle. Elle verdit (..................) puis devient bleue (.................). Elle cache son visage dans ses pieds (.................). Elle est heureuse car Chabert la déteste (.................) encore. Elle espère perdre (........................) son procès.

3 piste 5 → Écoutez le chapitre. Mettez les lettres dans l'ordre et retrouvez les mots du texte.

1. P O R A R I E P T E R I

→ Vergniaud a acheté sa maison, il est P........................ .

2. E T C R E S

→ Que cache la comtesse ? Derville veut trouver son S................ .

3. V A E I N R

→ Le comte Ferraud espère avoir un grand A....................... .

4. C D N O E S

→ La comtesse a fait deux mariages, le premier et le S................ .

5. R O D R S E

Derville veut savoir ce que la comtesse décide, il attend ses O........................ .

4 Mettez les phrases à la forme négative.

1. Je te donne les cent écus. → ....

2. Vous êtes l'ami du général. → ....

3. Nous perdons du temps. → ....

4. Il veut m'abandonner. → ....

5. Vous pouvez signer les documents chez moi. → ....

5 **Pourquoi le comte Ferraud peut-il être un adversaire de sa femme ?**

....

....

6 **À votre avis, que veut la comtesse : retrouver son premier mari ou rester avec le second ?**

....

....

CHAPITRE 6

1 piste 6 → **Écoutez le chapitre. Avez-vous bien compris ? Cochez la bonne réponse.**

1. L'action se situe :

☐ **a.** un an après le chapitre 5.

☐ **b.** le même jour que le chapitre 5.

☐ **c.** huit jours après le chapitre 5.

2. Chabert et la comtesse Ferraud se retrouvent :

☐ **a.** chez Chabert.

☐ **b.** à l'étude de Derville.

☐ **c.** chez la comtesse.

3. L'avoué installe la comtesse et le colonel :

☐ **a.** dans deux pièces différentes.

☐ **b.** dans la même pièce.

☐ **c.** dans la grande pièce de l'étude.

4. Derville lit :

☐ **a.** le document de l'accord entre le colonel et la comtesse.

☐ **b.** le testament de Chabert.

☐ **c.** l'histoire du colonel.

5. La comtesse quitte l'étude et :

☐ **a.** rentre chez elle.

☐ **b.** attend le colonel dans l'escalier.

☐ **c.** disparaît.

2 Lisez le chapitre 6. Associez les questions aux réponses.

1. Qui arrive en premier à l'étude de Derville ?
2. Comment la comtesse réagit quand Chabert lui dit : « Je vous ai prise au Palais-Royal » ?
3. Quelle est la valeur de la pension proposée dans le document ?
4. Pourquoi Derville est maintenant sûr que le colonel dit vrai ?
5. Où la comtesse emmène son ancien mari ?

a. Vingt-quatre mille francs.
b. Chez elle, à Groslay.
c. Elle le regarde avec une grande méchanceté.
d. Car la réaction de la comtesse montre qu'il est bien son mari.
e. C'est le colonel Chabert.

1	2	3	4	5
....	....	....	....	....

3 Mettez les mots de l'histoire dans l'ordre pour faire des phrases.

1. ressemble / à un vieux héros / plein de / Chabert / gloire.

....

2. de Derville. / La comtesse / dans / entre / le bureau

....

3. à sa femme. / Le colonel / du mal / n'aime pas / faire

....

4. vous aimer / son père. / une fille / aime / Je peux / comme

....

5. dans / à Eylau. / Le colonel / veut être / sa tombe

....

4 Complétez les phrases en utilisant un nombre ordinal.

1. C'est le .... (1) article de l'accord.

2. Le .... (2) mariage de la comtesse est-il le plus heureux ?

3. Ils se voient pour la .... (3) fois.

4. C'est la .... (7) lettre que le colonel écrit.

5. La maison de la comtesse est la .... (10) dans la rue.

6. La comtesse est la .... (1) femme du colonel.

5 Pourquoi Chabert dit à Simonnin : « Ah tiens, tu n'es plus sourd ? »

....

6 À votre avis, pourquoi la comtesse veut parler seule avec le colonel ?

....

....

CHAPITRE 7

1 piste 7 → **Écoutez le chapitre 7 et répondez aux questions.**

1. Pendant combien de jours la comtesse s'occupe-t-elle du colonel ?

....

2. Pourquoi écrit-elle une lettre à Delbecq ?

....

3. Qui est Jules ?

....

4. De quoi Jules accuse-t-il le colonel ?

....

5. Où la comtesse veut-elle enfermer le colonel ?

....

6. La comtesse est-elle triste du départ du colonel ?

....

2 Associez le début et la fin des phrases.

1. La comtesse a des mots doux, mais •	• a. avec ses enfants.
2. Le but de la comtesse est clair, •	• b. mais il la repousse.
3. Le colonel aime voir cette mère •	• c. elle veut lui faire oublier son nom.
4. La comtesse gagne la partie, •	• d. ne veut pas séduire à nouveau le colonel.
5. Elle se jette à ses pieds, •	• e. le colonel décide de rester mort.

3 Soulignez l'intrus.

1. époux - mariage - mari - parc
2. fils - mère - fous - père
3. procès - kiosque - tribunal - avoué
4. charmant - authentique - vrai - officiel

4 Trouvez dans le texte des phrases synonymes des phrases suivantes.

1. La comtesse sait très bien ce qu'elle veut.

   ....

2. Il n'y a pas de bruit dans la campagne.

   ....

3. Je dois faire plus que vous le dire ?

   ....

4. La comtesse a ce qu'elle veut.

   ....

5. Le colonel vient de comprendre ce que fait la comtesse.

   ....

5 **Choisissez le bon verbe (*pouvoir*, *devoir*, *vouloir*) et conjuguez-le au présent.**

1. La comtesse .... lui faire oublier ses malheurs. (volonté)
2. La comtesse .... -elle encore l'aimer ? (possibilité)
3. Nous .... aller chez le notaire. (obligation)
4. Les enfants .... venir voir le colonel. (possibilité)
5. Je .... partir de chez vous. (obligation)
6. Vous .... l'enfermer chez les fous. (volonté)

6 **Pourquoi la comtesse s'assied sur un banc « bien visible » ?**

....

....

....

7 **À votre avis, quel est l'état d'esprit de la comtesse et du colonel à la fin du chapitre ?**

....

....

....

CHAPITRE 8

1 **Lisez le chapitre. Avez-vous bien compris ? Cochez la bonne réponse.**

1. Derville écrit une lettre à la comtesse :
- ☐ **a.** pour savoir où se trouve le colonel Chabert.
- ☐ **b.** pour lui demander un rendez-vous.
- ☐ **c.** car elle lui doit de l'argent.

2. Delbecq répond que le client de Derville :
- ☐ **a.** est maintenant marié avec la comtesse.
- ☐ **b.** n'est pas le comte Chabert.
- ☐ **c.** est mort.

3. Derville rencontre par hasard le colonel Chabert :
- ☐ a. dans un jardin.
- ☐ b. dans un hôpital.
- ☐ c. au Palais de justice.

4. En 1840, Derville doit maintenant appeler le colonel Chabert :
- ☐ a. Monsieur le comte.
- ☐ b. Hyacinthe.
- ☐ c. Monsieur le colonel Chabert.

5. Chabert termine sa vie à l'hospice :
- ☐ a. de la *Jeunesse*.
- ☐ b. des soldats de l'Empereur.
- ☐ c. de la *Vieillesse*.

6. Derville quitte Paris et va vivre :
- ☐ a. à la campagne.
- ☐ b. à Eylau.
- ☐ c. en Égypte.

2 piste 8 → **Écoutez le chapitre 8. Vrai ou faux ? Cochez la bonne réponse. Justifiez lorsque vous pensez que c'est faux.**

	Vrai	Faux
1. La comtesse répond à la lettre de Derville.	☐	☐
2. Le malheureux condamné au Palais de justice est Chabert.	☐	☐
3. Chabert rembourse Derville.	☐	☐
4. Chabert est malheureux de ne plus pouvoir être soldat.	☐	☐
5. En 1840, Godeschal a repris l'étude de maître Derville.	☐	☐
6. Derville pense que les histoires des romans sont plus dures que la réalité.	☐	☐

Justification :

....

....

3 Complétez la grille avec des mots du chapitre.

1. Trois gendarmes les surveillent au greffe.

2. Chabert y retombe à cause de sa blessure.

3. La ville de Paris l'inspire à Derville.

4. Derville se souvient de celui de la comtesse !

5. À l'hospice, Chabert est le 164.

6. Chabert sèche du tabac dessus.

7. Chabert le crie quand il tend son bout de bois vers Derville.

4 Complétez la phrase exclamative avec le bon adjectif : *quel, quelle, quels, quelles.*

1. .... vie a eue le colonel !

2. .... malheurs il a subis dans sa vie !

3. .... soldats, les gardes impériaux !

4. .... blessures il a sur le visage !

5. .... brave homme ce Chabert !

6. .... tristesse de le voir à l'hospice !

5 **Pourquoi les avoués sont-ils malheureux, d'après Derville ?**

....

....

6 **À votre avis, qu'a écrit le colonel Chabert dans la lettre à la comtesse pour qu'elle rembourse Derville ?**

....

....

ACTIVITÉS DE SYNTHÈSE

1 **Mettez les titres dans l'ordre de l'histoire. Puis proposez votre propre titre.**

☐ **a.** Chez la comtesse Ferraud

....

☐ **b.** La transaction

....

☐ **c.** L'histoire du colonel Chabert

....

☐ **d.** La trahison

....

☐ **e.** Hyacinthe, numéro 164

....

☐ **f.** Chez le colonel Chabert

....

☐ **g.** La rencontre de Derville et de Chabert

....

☐ **h.** L'étude de maître Derville

....

2 Classez les scènes suivantes dans l'ordre chronologique de l'histoire.

a. L'avoué rencontre la comtesse Ferraud chez elle.
b. La comtesse gagne la partie, Chabert oublie son nom.
c. Le colonel raconte son histoire à Derville.
d. Le colonel Chabert est dans l'étude de Derville mais l'avoué n'est pas là.
e. À l'hospice, le colonel est le numéro 164.
f. Boucard accueille le colonel la nuit dans l'étude.
g. Derville rend visite au colonel chez Vergniaud.

1	2	3	4	5	6	7
....	....	....	....	....	....	....

3 Associez les informations suivantes aux différents personnages.

1. Le colonel Chabert
2. Derville
3. La comtesse Ferraud
4. Simonnin

a. On le croit mort à la bataille d'Eylau.
b. Il ne supporte plus Paris et veut vivre à la campagne.
c. Il est *saute-ruisseau* chez maître Derville.
d. Son deuxième mari est un ami du roi.
e. Il termine sa vie dans un hospice.
f. Son but : que Chabert oublie son nom.
g. Il fait semblant d'être sourd devant le colonel Chabert.
h. Il est le premier homme de loi à écouter l'histoire du colonel.

4 Qui dit quoi ? Redonnez à chaque personnage sa phrase.

1. Le colonel Chabert
2. Derville
3. La comtesse Ferraud

a. Je viens ici pour la cinquième fois. Je veux parler à monsieur Derville.
b. Monsieur, votre histoire est incroyable.
c. Je peux vous aimer comme une fille aime son père.
d. Madame, ne perdons pas de temps : le comte Chabert est vivant.
e. J'ai reçu vos lettres, bien sûr.
f. Pas Chabert ! Je suis Hyacinthe.
g. Nous devons alors le faire mettre chez les fous.
h. Quelle vie il a eue !
i. Depuis, je veux me venger.

5 Complétez les phrases avec les mots de l'histoire puis entourez ces mots dans la grille page suivante.

1. Le colonel Chabert est presque mort à la .... d'Eylau.
2. Le colonel accepte finalement d'oublier son ....
3. C'est son .... qui sauve le colonel de la mort.
4. La comtesse veut enfermer son ancien mari avec les ....
5. Derville veut que le colonel et la comtesse trouvent un ....
6. La .... de la comtesse est grande depuis la mort de son mari.
7. Derville est un avoué, c'est un homme de ....
8. Le colonel préfère la .... militaire, elle est plus rapide.
9. La comtesse peut aimer Chabert comme une fille aime son ....

F	O	U	S	B	W	X	S	F
A	T	A	I	A	E	O	I	O
C	S	C	O	T	M	T	N	R
C	V	H	Q	A	L	O	I	T
O	U	E	P	I	S	X	W	U
R	Y	V	N	L	Z	T	A	N
D	R	A	L	L	Y	V	U	E
S	O	L	M	E	P	E	R	E
N	O	M	O	M	Z	H	J	I
T	J	U	S	T	I	C	E	V

6 Soulignez l'intrus.

1. Chabert - soldat - hospice - général
2. Étude - Derville - vie inactive - campagne
3. Luxe - hospice - fortune - comtesse Ferraud
4. Vergniaud - Égyptien - noblesse - propriétaire

7 Que pensez-vous de l'attitude de la comtesse Ferraud envers son premier mari ? Que feriez-vous à sa place ?

....

....

....

8 Que pensez-vous de l'attitude du colonel Chabert qui accepte d'oublier son nom ? Que feriez-vous à sa place ?

....

....

....

FICHE 1 HONORÉ DE BALZAC

Honoré de Balzac est né à Tours (dans l'ouest de la France) en 1799 et il est mort à Paris en 1850. Enfant, ses parents ne s'occupent pas beaucoup de lui. Il est chez une nourrice[1] les quatre premières années de sa vie. Puis, entre huit ans et quatorze ans, il est pensionnaire[2] dans un collège. Après le baccalauréat, il commence des études de droit. Il travaille aussi comme clerc chez un notaire. En 1819, il arrête ses études. Il veut devenir écrivain. Son premier livre, *Cromwell* (1819), n'a pas de succès. Pour vivre, Honoré de Balzac écrit des romans sous d'autres noms. Son premier succès date de 1829 avec *Physiologie du mariage*. Il devient un auteur célèbre. Balzac va alors dans les salons littéraires. Il rencontre Alexandre Dumas et Victor Hugo. Il écrit ensuite de très nombreux livres : *Les Chouans* (1829), *La Peau de chagrin* (1831), *Le Colonel Chabert* (1832)… Mais Honoré de Balzac dépense beaucoup d'argent et, pour vivre, il a besoin d'autres activités. Il devient ainsi éditeur et imprimeur. Il achète aussi une mine d'argent en Sardaigne. Mais ses affaires ne réussissent pas et il a de nombreuses dettes[3]. En 1838, Honoré de Balzac crée avec d'autres écrivains la SGDL (Société des gens de lettres). Cette organisation défend les droits des auteurs. Honoré de Balzac se marie en mars 1850 en Ukraine avec Eva Hanska. Sa santé est fragile. Après plusieurs crises cardiaques, il meurt le 18 août 1850 à Paris.

1 Une nourrice : une femme qui garde des enfants chez elle.
2 Un pensionnaire : un élève qui habite dans son école.
3 Une dette : de l'argent qu'une personne doit à une autre personne.

1 Lisez le texte. Vrai ou faux ? Cochez la bonne réponse. Justifiez lorsque vous pensez que c'est faux.

	Vrai	Faux
1. Balzac est né à Paris.	☐	☐
2. Il travaille comme clerc de notaire.	☐	☐
3. Son premier livre a beaucoup de succès.	☐	☐
4. Il fréquente les salons littéraires.	☐	☐
5. Il dépense beaucoup d'argent et a des dettes.	☐	☐

Justification :

……………………………………………………………………………………

La Comédie humaine

En 1833, Honoré de Balzac a une idée : placer ses personnages dans différents romans. Il veut aussi réunir tous ses livres dans une grande œuvre : *La Comédie humaine*. La première édition paraît en 1842. Elle regroupe quatre-vingt-onze romans et nouvelles. C'est une histoire des modes de vie de son époque. Il décrit la vie des habitants de Paris, de la province, de la campagne... Il parle des différentes classes de la société : riches, pauvres, nobles, paysans, militaires, religieux... Il y a plus de deux mille personnages. Certains apparaissent dans quinze romans. Maître Derville, l'avoué du *Colonel Chabert* (1832), est aussi dans *Le Père Goriot* (1835), *La Maison Nucingen* (1838), *César Birotteau* (1837)...

2 Lisez le texte. Avez-vous bien compris ? Cochez la bonne réponse.

1. Balzac place ses personnages dans :
☐ **a.** un seul roman
☐ **b.** différents romans.

2. *La Comédie humaine* :
☐ **a.** regroupe des romans et des nouvelles.
☐ **b.** est le titre de son premier livre.

3. *La Comédie humaine* parle de :
☐ **a.** la vie dans le futur.
☐ **b.** la vie de son époque.

4. *La Comédie humaine* paraît en :
☐ **a.** 1832.
☐ **b.** 1842.

5. Les personnages de Balzac sont :
☐ **a.** de différentes classes sociales.
☐ **b.** tous des paysans.

FICHE 2 QUELQUES REPÈRES HISTORIQUES

L'histoire du *Colonel Chabert* se passe principalement durant une période appelée la Restauration (1815-1830). Elle fait suite à la Révolution française (1789-1799) et au Premier Empire de Napoléon Ier (1799-1815). C'est le retour d'un roi à la tête de la France. Il s'appelle Louis XVIII (1755-1824). Il est le frère de Louis XVI (1754-1793), le roi guillotiné[1] le 21 janvier 1793 pendant la Révolution française. Au début de la Restauration, les nobles partis à l'étranger à partir de 1789 reviennent en France. Ils veulent retrouver leur place dans le pays. Mais Louis XVIII n'a pas tous les pouvoirs. Il gouverne avec deux assemblées : la Chambre des pairs (choisie par le roi) et la Chambre des députés (élue par une partie du peuple). Ainsi, l'entente est difficile entre le roi et les défenseurs de la Révolution ou de l'Empire. On retrouve ces différences dans le roman de Balzac : le colonel Chabert et sa femme sont devenus riches avec l'Empire, mais la famille du comte Ferraud est du côté du roi. En 1824, Charles X (1757-1836), le frère de Louis XVIII, devient roi. Il veut une monarchie absolue (le roi a tous les pouvoirs). En juillet 1830, une révolution à Paris l'oblige à quitter le pouvoir. La monarchie de Juillet commence : Louis-Philippe Ier est le roi des Français jusqu'en 1848 (c'est le dernier roi de l'Histoire de France). Balzac écrit *Le Colonel Chabert* en 1832, durant la monarchie de Juillet.

1 Guillotiné : tué avec une guillotine, instrument qui coupe la tête.

1 Lisez le texte. Vrai ou faux ? Cochez la bonne réponse. Justifiez lorsque vous pensez que c'est faux.

	Vrai	Faux
1. La Révolution française a eu lieu après la Restauration.	☐	☐
2. La Restauration est le retour d'un empereur à la tête de la France.	☐	☐
3. Durant la Restauration, les nobles reviennent en France.	☐	☐
4. Louis XVIII a tous les pouvoirs.	☐	☐
5. La famille du comte Ferraud est du côté du roi.	☐	☐

	Vrai	Faux
6. Une révolution chasse Charles X du pouvoir.	☐	☐
7. Le dernier roi des Français s'appelle Louis-Philippe.	☐	☐
8. Balzac écrit *Le Colonel Chabert* pendant la Restauration.	☐	☐

Justification :

....

....

....

....

CORRIGÉS

CHAPITRE I

1 1. Vrai.

2. Faux. Des clercs préparent le déjeuner.

3. Faux. Il fait le sourd.

4. Vrai.

5. Vrai.

6. Faux. Il le perd, car l'inconnu est un soldat.

2 1. b - 2. a - 3. a - 4. b - 5. a.

3 matin - grande - préparent - chocolat - cheminée - mauvais - jaunes, dossiers - fenêtres - écrire - vieille et laide.

4 1. se moquent.

2. t'occupes.

3. nous moquons.

4. s'occupe.

5. vous moquez.

6. m'occupe.

5 Car le colonel est mort à la bataille d'Eylau.

6 Production libre.

CHAPITRE 2

1 1. a

2. c

3. a

4. b

5. b

2 Chabert : c, e, f

Derville : b, d, g

Boucard : a, h,

3 1. Derville: Il est soldat.

2. Chabert: Sa femme lui donne son argent.

3. Boucard : Il écoute l'histoire du colonel.

4 1. toute

2. tout

3. toute

4. toutes

5. tous

6. tout

5 Son cheval tombe sur lui et le protège.

6 Production libre.

CHAPITRE 3

1 1. Vrai.

2. Faux. Il n'a pas de famille.

3. Vrai.

4. Faux. Elle ne veut pas le voir.

5. Faux. Il n'est pas sûr, mais il veut bien prendre le risque de l'aider.

2 1. camarade

2. belle

3. comédien

4. hôpital

5. accord

6. miracle

7. lettres

8. cigares

9. or

10. documents

Mot mystère : abdication

3 ville - porte - lit - argent - femme - mariage - enfants - adresse - nuits - voiture.

4 1. Donnez

2. Trouvons

3. Raconte

4. Aidez

5. Prenons

6. Sois

5 Car il a beaucoup changé.

6 Production libre.

CHAPITRE 4

1 1. Vrai.

2. Faux. Elle est vieille et laide.

3. Vrai.

4. Faux. Il apprend à lire aux enfants.

5. Faux. Il la trouve compliquée.

6. Vrai.

2 Ordre des phrases: 1. b - 2. e - 3. g - 4. c - 5. d - 6. h - 7. f - 8. a.

3 1. paquets - timbres

2. terre - pied

3. droite - gauche

4. enfants - question

5. fous - peur

6. procès - argent

4 1. vont faire

2. va continuer

3. allez voir

4. allons gagner

5. vais partir

6. vas dire

5 1. vieux

2. stupide

3. pauvres

4. longs

5. rapide

6. puissant

6 Car ses amis l'ont bien accueilli quand il n'avait pas d'argent.

7 Production libre.

CHAPITRE 5

1 1. mariages
2. abandonner
3. visage
4. luxe
5. problème
6. noblesse
7. ambition
8. piège
9. peur
10. fortune
Mot mystère : adversaire

2 salle à manger - déjeune - petit singe - vivant - lettres - faux - rougit - blanche - mains - l'aime - gagner.

3 1. propriétaire
2. secret
3. avenir
4. second
5. ordres.

4 1. Je ne te donne pas les cent écus.
2. Vous n'êtes pas l'ami du général.
3. Nous ne perdons pas de temps.
4. Il ne veut pas m'abandonner.
5. Vous ne pouvez pas signer les documents chez moi.

5 Il rêve d'un grand avenir, mais son mariage avec une personne qui n'est pas noble peut être un problème.

6 Production libre.

CHAPITRE 6

1 1. c
2. b
3. a
4. a
5. b

2 1. e
2. c
3. a
4. d
5. b

3 1. Chabert ressemble à un vieux héros plein de gloire.
2. La comtesse entre dans le bureau de Derville.
3. Le colonel n'aime pas faire du mal à sa femme.
4. Je peux vous aimer comme une fille aime son père.
5. Le colonel veut être dans sa tombe à Eylau.

4 1. premier
2. second
3. troisième
4. septième
5. dixième
6. première

5 Au premier chapitre, Simonnin a joué au sourd et n'a pas répondu à la question du colonel.

6 Production libre.

CHAPITRE 7

1 1. Pendant trois jours.
2. Il doit aller chercher les documents sur le colonel chez Derville.
3. C'est le fils de la comtesse.
4. De faire pleurer sa mère.
5. Chez les fous.
6. Non, elle espère retrouver une vie tranquille.

2 1. d
2. c
3. a
4. e
5. b

3 1. parc
2. fous
3. kiosque
4. charmant

4 1. Son but est clair.
2. La campagne est silencieuse.
3. Ma parole ne suffit pas ?
4. Elle gagne la partie.
5. Il vient de comprendre les manœuvres de la comtesse.

5 1. veut
2. peut
3. devons
4. peuvent
5. dois
6. voulez

6 Elle veut que le colonel la trouve pour jouer la comédie d'une femme triste.

7 Production libre.

CHAPITRE 8

1 1. a
2. b
3. c
4. b
5. c
6. a

2 1. Faux. C'est Delbecq qui répond.

2. Vrai.

3. Faux. C'est la comtesse qui donne l'argent.

4. Vrai.

5. Vrai.

6. Faux. Pour lui, elles sont en dessous de la réalité.

3 1. Vagabonds

2. Enfance

3. Horreur

4. Regard

5. Numéro

6. Mouchoirs

7. Feu

4 1. Quelle

2. Quels

3. Quels

4. Quelles

5. Quel

6. Quelle

5 Ils ne voient que les mauvais sentiments des hommes.

6 Production libre.

ACTIVITÉS DE SYNTHÈSE

1 1. h. L'étude de maître Derville.

2. g. La rencontre de Derville et de Chabert.

3. c. L'histoire du colonel Chabert.

4. f. Chez le colonel Chabert.

5. a. Chez la comtesse Ferraud.

6. b. La transaction.

7. d. La trahison

8. e. Hyacinthe, numéro 164

2 1. d. Le colonel Chabert est dans l'étude de maître Derville mais l'avoué n'est pas là.

2. f. Boucard accueille le colonel la nuit dans l'étude.

3. c. Le colonel raconte son histoire à Derville.

4. g. Derville rend visite au colonel chez Vergniaud.

5. a. L'avoué rencontre la comtesse Ferraud chez elle.

6. b. La comtesse gagne la partie, Chabert oublie son nom.

7. e. À l'hospice, le colonel est le numéro 164.

3 1. Le colonel Chabert: a, e

2. Derville: b, h

3. La comtesse Ferraud: d, f

4. Simonnin: c, g

4 1. 1. Le colonel Chabert: a, f, i

2. Derville: b, d, h

3. La comtesse Ferraud: c, e, g

5 1. bataille

2. nom

3. cheval

4. fous

5. accord

6. fortune

7. loi

8. justice

9. père

6 1. général

2. vie inactive

3. hospice

4. noblesse

7 Production libre.

8 Production libre.

FICHE 1

1 1. Faux. Balzac est né à Tours.

2. Vrai.

3. Faux. Il a peu de succès.

4. Vrai.

5. Vrai.

2 1. b

2. a

3. b

4. b

5. a

FICHE 2

1 1. Faux. La Révolution française a lieu de 1789 à 1799 et la Restauration de 1815 à 1830.

2. Faux. C'est le retour d'un roi.

3. Vrai.

4. Faux. Il gouverne avec deux assemblées.

5. Vrai.

6. Vrai.

7. Vrai.

8. Faux. Il l'écrit durant la monarchie de Juillet.

Imprimé en France par la Nouvelle Imprimerie Laballery
Dépôt légal : mai 2019 - Édition 01 - 76/6892/1
N° d'impression : 904364